ᓄᓇᓕᓐᓂ ᐃᑲᔪᖅᑏᑦ
NUNALINNI IKAJUQTIIT
COMMUNITY HELPERS

ᑎᑎᖅᑐᒐᖅᑐᖅ
ᐊᒫᓐᑕ ᓵᓐᑦᓚᓐᑦ

TITIQTUGAQTUQ ILLUSTRATED BY
Amanda Sandland

ᐋᓐᓂᐊᓯᐅᖅᑎ

aanniasiuqti

nurse

ᐸᓖᓯ

paliisi

RCMP officer

ᐃᓐᓇᑐᖅᑲᖅ

innatuqaq

Elder

ᐃᓕᓴᐃᔨ

ilisaiji

teacher

ᖃᖓᑕᓲᕐᒧᑦ ᐊᖁᑎ

qangatasuurmut aquti

pilot

Nunavummi